KB003666

사라져가는 그대의 하루가
훗날 아름답게 기억되길

박대원

피고 지는 시간 속에서도
우리는 잊히지 않기를

오택균.

Hee.ran
수많은 사랑을 모아
그대에게.

때로 배고프게
몰래 사랑하며

박주연

모든 이별에는
이유가 있음을.

김진희

오늘이 간다고 서운해하지 않겠습니다

오늘이 간다고 서운해하지 않겠습니다

박대원

사라져 가기에
아름답고, 소중해서

꽃잎 한 장 책갈피 삼아
추억 사이 끼워놓고
깊이 간직해두었어요

책갈피 어디 있는지 잊힐 때쯤
우린 다시 사랑을 하겠지요

instagram @writing._you / @writing._pol
email dreaming0706@naver.com

「사라져가는 것들에 대하여」

오택준

늦겨울과 초봄 그 사이,

불어오는 추위를 좋아하는 사람이 있었습니다.

명확한 말들보단 모호하고 애매한 표현을

더 좋아하는 사람이 있었습니다.

구태여 말로 내뱉지 않아도 모두 다 그런 줄 알았습니다.

하지만,

세상은 그렇지 않음을 깨닫고 시를 쓰기 시작했습니다.

이러한 세상들도 있다는 걸 쓰고 싶었습니다.

이런 사람의 말도 부디 잘 전달되었으면 합니다.

instagram @cherry._.b2

email tgbnm7@naver.com

「 그리움의 40가지 이야기 」

장희란

세상의 다양한 이야기들을
29.97 프레임의 영상으로
소중히 담는 일을 합니다

사이버 세계 속
별나라를 탐험하던 중
우연히 마주한 익명의 아기 새들

그들의 지저귐은
멈춰있던 나의 펜을
바삐 움직이게 했습니다

instagram @write_heeran
email jhr9434@naver.com

「 수많은 사랑을 모아 그대에게 」

박주언

박담한 날이면 창문을 열고
원숭이 음악인들의 노래를 틉니다

주로 하던 고민에 사색 한 번
괜스레 외로움과 사투 한 번

언제나 고독한 우리들에겐
사랑만이 정답이겠지요

instagram @he_always_p / @deunsollpoet

email sam_324@naver.com

blog blog.naver.com/sam_324

「 치열하게 살아가고 치열하게 사랑하자 」

김진희

말은 강의가 되어
사람들에게 울림을 주고
글은 시가 되어
사람들에게 여운을 준다

강사는 천직이 되었고
시인은 숙명이 되었다.

instagram @kims_poem
email jini2603@nate.com

「추락은 비상을 위한 숙명이었다」

박대원

『사라져가는 것들에 대하여』

문득 무언가 잃었다 느낄 때
잃어버린 지점 되돌아가 보아도

잃은 것 무엇인지
알 수 없는 그런 날이 있어요

그렇게 붉은 실 하나 꼭 쥐고
부산스레 헤매이다

달빛마저 자취를 감춘 밤
사라져가는 것들에 대해 씁니다

2022년 봄, 박대원

북두칠성

살짝 연 창문 틈 사이
별꽃들 살포시 내려앉아

올려본 밤하늘엔
반짝이는 북두칠성 하나

저 북두칠성, 선 하나 쭉 그어놓곤
누가 이름 붙인 걸까

일곱 개의 별, 선으로 엮으면
몇만 광년 거리 하나라도 되는 걸까

너와 내 틈 사이도
선 하나 쭉 엮어
'우리'라는 이름 붙였으면

당신의 계절

봄날 분홍빛으로 흩날리는 벚꽃도
여름날 초록빛으로 뒤척이는 나뭇잎도
가을날 샛노랗게 사뿐히 떨어지는 낙엽도
겨울날 하얗게 소복이 쌓이는 눈도

모두 저마다의 색깔로
세상을 아름답게 물들인 뒤
잠시 머물다 사라지는 것들

그대 또한 내게 잠시 머물러
나의 사계절, 당신의 색깔로
아름답게 물들여주려고

우리 시선 머물던 곳
함박꽃 피워놓은 채
조용히 머물다 갔나 보다

소란스런 밤

소란스런 별빛의 속삭임
소란스런 네 기억의 파편들

과거를 회상케 하는
봄 내음 가득한 피아노 건반 위
쏟아지는 별들의 동요에 몸서리치다

겨우내 찾아온 창문 밖 봄 내음에
설잠에서 깨어 눈을 떠보니

내 품에 안겨 조각잠을 자던
그대 영혼이 잠시 노닐다 간 것일까

붉은 눈물 적시운 베개 자국이
이리도 선명한데

널 보았다는 이 하나 없네

장미

어느 날 예고 없이 날아와
마음속 아름답게 꽃피운
장미꽃 한 송이

꽃송이 떨어질까
가슴에 조심스레 품곤

가시 박힌 가슴, 통증도 모른 채
붉은 가슴 안고 사랑했던 숱한 밤들

조금 통증 희미해져 잊은 채 지내다가
가끔 가슴 아릿해지는 날이면

아직 빼지 못한 장미 가시 하나
가슴에 박혀있었구나 합니다

손톱달

홍색실 손가락에 꽁꽁 묶어
봉숭아꽃 이쁘게 물들여놓고
첫눈 오길 기다려 보았지만

끊어진 홍연에 머물 곳 잃고
하얗게 여윈 봉숭아 물

그래, 이제 보내야겠다 싶어
마침내 다 깎아내었다 생각했건만

별들도 잠든 새벽, 달맞이 고갯길
달빛 하나의 추억 먹고 자라는 걸까

하룻밤 사이 손톱달 모양으로
금세 붉게 물들어 있는 당신

다시 한번 깎아낸 추억 쓸어 모아
입김 불어 새하얀 달빛에 날려봅니다

걸음마

매화꽃 봉오리 피운 어느 봄날

벽 짚고 일어나 아장아장
걸음마 막 뗀 한 살배기 아기는

몇 차례 봄, 맞이했을 뿐인데
어느새 아흔 살 할머니 되어
보행기 힘겨이 짚고 일어나

예전 기억 더듬어 아장아장 걸음마
다시 한번 떼어봅니다

시간은 계속 거꾸로 흘러
자꾸만 깜박하는 것들이 많아지는
어느 봄날의 끝자락

이제 막 걸음마 뗀 할머니 뒤로
아흔 번째 매화꽃, 아름답게 낙화합니다

청춘

커피를 건네는 20대 알바생의 손엔
젊고 꿈 많은 시절이

옛 연인을 그리는 30대 청년의 방엔
가슴 저린 그리움이

출근을 재촉하는 40대의
언제 산지 모를 낡은 구두엔
가장의 책임감이

자식 가는 길 배 곪을까
50대 어머니가 쥐여주는 과일 한 봉지엔
미안함과 사랑이 있다

그대들 모두 이번 생은 처음이라
서툴렀지만, 나 또한 처음이기에
그래서 소중하다

분홍빛 꽃이 한꺼번에 뒤척이는 어느 계절
저마다의 삶의 궤적을 그리는 그대들
모두 청춘이다

작별

물밀듯 밀려오는 졸음에
아스라이 흩어지는 기억들

생애 기억 모두 게워내며
봄을 지우고, 여름을 지우고,
가을을 지우고, 겨울을 지워,

단 한 번 허락된 쉼 찾아오면
마지막으로 아른거리는 그대
사랑했어요, 고마웠어요

작별 인사는 말아요
따스한 봄바람 버스 타고
그대 이마 위 살포시 내릴 테니

재 한 줌 위로
모란꽃 예쁘게 피었잖아요

마음속 별이 된 모든 엄마들에게

어느 지방, 작은 시골
아무개 아이 엄마로 살던 당신

밤낮으로 우는 당신의 작은 아이를
손뼉을 치며 어리고 달래다
당신의 아이가 조막만 한 입술로
'엄..마'라고 힘겹게 운을 떼던 순간

세상에서 가장 행복한 표정으로
함박웃음을 짓던 당신을
우리는 영원히 기억하지 못할 테지요

선생님, 대리님, 부장님, 팀장님…
우린 수많은 이름 가진 채 살고 있지만
좀처럼 불리기 힘든 내 이름 석 자가
낯설게 느껴지는 요즘

당신이 다정히 불러주던 내 이름이
사무치게 그리워질 때면
당신 이름 석 자
맘속으로 나지막이 불러봅니다

노인의 발걸음

등 굽은 노인 뒤를 걷다가
빠른 걸음으로 노인을 따라잡을 즈음

잠시 멈추어 노인의 보폭에
내 보폭을 맞추어 본다

노인에게만 지구의 중력이 달리 작용하는 듯
노인의 발걸음은 더디기만 한데

빠르게 가는 세월이 아쉬워
저리 더디게 걷는 걸까

나도 조금 느리게 걷다 보면
노인의 시간과 나의 시간이
맞닿을 수 있을까

하늘에 뜬 푸르스름한 조각달은
노인의 발걸음을 비추고

노인의 발걸음은 여전히 더디다

소멸

선처럼 가만히 누워
지금은 아스라이 사라진
추억의 별빛 하나 쏘아 올리는
외로운 지구인이 있습니다

내 눈에 담긴 저 별빛은
수만 광년 전, 무한의 우주 한켠
외로운 행성 하나 있었다며
빛 하나의 소식을 남긴 채
현재는 소멸하였을지도,

수만 광년 후, 저 외로운 행성의 그녀도
내가 쏘아 올린 지구의 별빛을 바라볼 즈음
지구도 소멸해 있을지 모를 일이지만

외로운 지구라는 행성에
별 하나의 추억을 그렸던 한 지구인이
살고 있었노라 소식을 전해봅니다

벚꽃 눈

벚꽃 눈 펑펑 쏟아지는 봄
발밑으로 사각사각 밟히는
분홍빛 벚꽃 눈들

벚꽃 눈 살포시 얹어
깊게 패인 우리 사이
메워볼까 기대해 보지만

우리의 겨울 길 위
차가이 쏟아 내린 벚꽃 눈에
나란히 걷던 발자국 모양
파묻혀 사라진 걸까

이제 더 이상 돌아갈 수 없는
우리의 마지막 계절

행운의 까치

악연이었나 인연이었나
늙은 소년의 어설픈 침묵에
유약한 소녀는 울부짖었다

경주의 어느 가을날
가지에서 날려 보낸 행운의 까치야
어디로 갔는지 알 길은 없지만

이역만리 떨어진 그대의 손가락에
홍색 실 하나 물어 걸어다 주렴

소라게

새로운 집 찾아 헤매이던 소라게

플라스틱병 안에 쏙 들어가
자기 무덤이 될지도 모른 채
새집 얻었다며 좋아했고

서러운 고동 소리만 울리는
소라게 그리운 껍데기엔

한참 기다려도 올 일 없는
소라게 살았던 흔적만 남아

다른 세입자 오길 기다리는
텅 빈 소라 껍데기만 남았습니다

벨루가 돌고래

벨루가 한 마리
미소 짓고 날 쳐다본다

근데 너, 웃는 게 아니라
울고 있었구나

네가 주는 경이로움은
먼 암흑 속 무한의 바다에서
가져온 것일 테지

네가 쏘아 올린 물줄기는
애지중지 젖 먹여주던 네 어미가
널 잃고 흘린 눈물일 테지

네 의지와는 상관없이
한 평 남짓 독방에 갇힌 너도
나와 같구나

나뭇잎

바닥에 아무렇게 굴러다니다
무심코 내디딘 발걸음에
산산이 부서지는 나뭇잎들

머물 곳 잃고
색깔을 잃은 채
바스러진 저 나뭇잎들도

한땐 찬란히 한 계절을 물들였던
초록빛 나뭇잎이었음을

자기 살점 베어낸
저 나무는 기억이나 하려나

세월

매일 보던 거울 속 얼굴이
어딘지 모르게 낯설어

주름진 얼굴을
사진 속에 피사체로
담아보지만

카메라의 잔인한 폭력 앞에
아스라이 부서지는 시간들

사진에 담긴 순간
사라져 버리는 청춘은
이미 과거의 망령이다

광인처럼 셔터를 눌러보아도
흐르는 시간은 담을 수 없으니

그저 흘러가는 대로 둘 수밖에

별똥별

캄캄한 밤하늘
은빛 긴 금 하나 긋고는
유유히 사라진
별똥별 하나

캄캄한 내 삶에 깜짝 나타나
평생 반짝일 것 같더니

그대도 내 맘 깊이
붉은 선 하나 긋고 가려고

그렇게 머물다 사라졌나 보다

과거의 네가 지금의 나에게

지금의 넌 잊었다 하지만,
지금의 넌 잊으라 하지만,

날 다정히도 사랑했던 과거의 네가
너 없는 지금의 나에게 건네는 말

'날 잊지 말고 최선을 다해줘'

추억

하얗게 여위어가는 달
그리고 여위어가는 추억 한 장

고사리 같은 손으로 뜨개질하던
두 뺨 가득 사랑스럽던
그대 따스한 온기 떠오르지 않아

사진 속 네 얼굴 그리워
수차례 문질러보아도

더 이상 느낄 수 없는
차가워진 추억 하나

그대 따스한 온기 너무 아름다워
누군가 다 가져가 버린 걸까

그대 따스한 온기 사라져
차디찬 사진 속 형상 하나만 남았는데

그럼에도 여전히, 추억 속 사랑스런 그대
하얗게 여위어가는 우리 순간들

잊을 수 없는 이름

바다를 보면 외로운 마음 들어
새하얀 백사장 위 파란 잉크 찍어
그대 이름 써보는데

매정한 파도는 차갑게 밀려와
그대 이름을 지우길 한 번

다시 그대 이름 써보는데
매정한 파도는 차갑게 밀려와
그대 이름을 지우길 또 한 번

외로운 파도는 그대 이름 가져가
외로움 달래려 하는 걸까

그렇게 그대 이름 쓰길 포기할 때쯤
밀물과 썰물에 밀려온 모래알 속

다 가져간 줄 알았던
당신 이름 석 자 녹아
잊을 수 없는 이름 하나
있다는 걸 알았습니다

꿈

오랜만에 꿈속에서 만난 그대
가끔 그대도 내 꿈을 꾸었냐 물으니
그댄 미소만 지은 채 대답이 없었고

그대와 즐겨 갔던 레스토랑에 앉아
차려진 맛있는 음식 그리고 와인 한 잔에
도란도란 못다 한 얘기 나누고는

기도했다
부디 이 꿈이 깨지 않길

그리고 다시 한번 기도했다
부디 이 꿈이 깨어나면 기억나지 않길

페르소나

진실만 말하면
살아남을 수 없는 세상에서

미지의 얼굴은 가린 채
수많은 종류의 가면을 쓰고

위선과 자기기만으로
때론 괜찮은 사람인 척 연기했지만

당신 앞에선 가면을 벗고
창백한 민낯을 드러내어도
사랑받던 그런 날들이 있었습니다

오늘도 자신의 얼굴을 잊은 한 남자는
빛을 잃어버린 눈동자를 가리려

가면을 쓴 채 거리를 나서다 문득
그때가 그리워집니다

아버지

무심코 바라본 거울 속
젊은 시절 당신 모습이 있습니다

빛바랜 사진 속, 아버지
젊은 시절 당신 모습
나와 이렇게 꼭 맞닿아있어

당신과는 달리 살겠다 그리 다짐했건만
거울 속엔 젊은 시절 당신이 있군요

길 잃고 헤매는 밤
당신에게 답을 구해보려
거울 한번 열심히 문질러봅니다

어른이 된다는 것

조금만 아파도
서러이 펑펑 울던 아이는

참는 게 어른이라 배워
참고, 또 참고, 또 참다 보니

이젠 웬만한 아픔에도
우는 법 잊은 눈물샘에선
눈물 한 방울 나올 줄 모릅니다

오늘도 그렇게 어른이 된 아이는
맘속 눈물 자욱 황급히 훔치고는

마스크 뒤 슬픈 입 가린 채
이쁘게 눈웃음 지어 봅니다

참회의 밤

칠흑 같은 어둠을
실낱 같은 희망으로 지새는 밤

따뜻한 그대 맘에
모질게 생채기를 낸 죄로
사형을 언도받아

열 평 남짓 독방에 갇혀
빼곡히 반성문을 써보지만

더 이상 전할 길 없이
하얗게 여위는 밤

얼룩진 창문 사이로 들리는
참회의 숨소리

도토리나무

다람쥐 친구가 떨어뜨린 걸까
땅 위 톡 떨어진 도토리 한 알
어딨는지 잊고 지냈는데

어느새 무럭무럭 자라
외로운 대지 위
도토리나무 자랐어요

낮엔 까치 친구 찾아와 둥지 틀고
밤엔 부엉이 친구 찾아와 둥지 틀어

겨우내 외롭지 않아
언제고 함께인 줄 알았건만

다 어디 가고 다시 혼자 남아
외로워진 도토리나무 하나

헌 옷

케케묵은 옷장
정리하다가

버릴 때가 되었나..
헌 옷 수거함에
무심히 버려진 헌 옷

헌 옷은 주인 잃고
낯선 옷들과 몸을 부대끼며
트럭에 실려 슬피 울었대요

그렇게 도착한 낯선 부산 남포동 구제시장
그곳에서 헌 옷은 새 주인을 만났대요

새 주인 찾은 헌 옷은
누군갈 다시 한번
따스이 해 줄 수 있음에 감사하며
활짝 미소 지었대요

날개

빗소리 메마른 맘 두드려
흩어지는 네 생각들

두 날개 눈물에 젖어
더 이상 비행하지 못해
처마 밑 까치 하나
슬피 우는데

널 속삭이는 빗소리
처마 밑에 잔뜩 두른 채
두 귀 막고 누워

맑게 갠 언젠가
다시금 마른 날개 활짝 펴고
저 대지 위 날아오르길
기다릴 수밖에

첫사랑

전하지 못한 소녀의 마음은
그 자체로 얼마나 아름다운가

진심은 전하려 할수록
각색되고 변형되니

진심은 전하지 못한 채
가슴에 묻어둘 때

가장 아름답고 순수하다

지구별 여행자

고운 분홍빛 벚꽃 낙화하는 계절
스쳐 가는 지구별 여행자들

어느 날, 지구별 어딘가에서
뾰얀 울음 터뜨리며 태어나
잠시 여기, 여행 왔노라 알렸을 그대

첫 여행의 설렘은 사라져버렸나
분홍빛 계절 느낄 새도 없이

어디론가 걸음을 재촉하는
지친 얼굴의 지구별 여행자들

혹 그대들 길 잃은 건 아닌지
다정히 안부 인사 한번 건네볼까 하다
주춤거리게 되는 그런 날이 있습니다

우리 모두 잠깐 머물다 가는 여행자지만
가끔 이렇게 안부 한 번 물어주길

당신의 지구별 여행, 안녕하신가요

목소리

처음 네게 전활 걸었던
내 목소리 미묘한 떨림은

당신의 어여쁜 목소릴 만나
깊은 울림을 만들어 냈고

단순하고 어수룩한 내 표현들조차도
당신을 기쁘게 하기 충분했건만

우리 마지막, 울림을 잃은 내 목소린
이별에 대한 변호와 자기 연민에 빠져

미친 사람의 메아리처럼 허공에 맴도는
한낱 듣기 싫은 소음일 뿐이었다

당신의 목소리 기억나지 않는 요즘
소리 잃고 모양만 남아

내 마음 짙게 그리운 얼룩만 남긴
당신의 목소리

잔소리

네 잔소리 사라진 적막한 방안

술에 취해 비틀대며 들어와
허물 벗듯 대충 벗어놓은 바지

방 한구석 숨어있던 네 잔소리 하나
빼꼼, 고개 내밀고 쪼르르 달려와

옷은 옷장에 넣어야 한다며
귀엽게 툴툴거리길래

알겠다며,
흐트러진 옷들을 이쁘게 고이 접어
네 잔소리와 함께 옷장에 개어본다

그땐 몰랐지, 그게 행복이었음을

바나나 차차

바나나 차차
네 몸짓은 가장 작은 존재들을
축복으로 감싸 안는 일

작은 존재들은 네 몸짓을 따라
세상을 배우고
새로이 피어난다

바나나 차차
난 네 몸짓을 사랑했다
난 네 몸짓을 따라
사랑을 배우고
새로이 피어났다

일렁이는 여름날
플라타너스의 나무처럼
세상을 반짝이는 그대

이젠 멀리서나마 응원한다
사랑스럽고 찬란한 당신의 몸짓을

마침표

마침표 하나 찍고
다음 이야긴 없는데

추억 한 장 넘어가면
아스라이 사라질까

결국 넘길 수 없는
우리의 이야기

추억 한 장 도려내어
다음 페이지에
꼬깃꼬깃 붙여보다

두꺼워진 그리움에
끝내 남은 마침표 하나

나그네들의 방

멍하니 방에 누워 천장을 바라보다
문득 내 작은방이 낯설게 느껴집니다

이 작은방은 수많은 세월 속에
얼마나 많은 손님을 맞아

세상을 방황하는 나그네들의
별 헤는 밤을 지켜보았을까요

3년 전, 어떤 이는 이곳에서
희망을 노래했을지도

2년 전, 어떤 이는 이곳에서
사랑을 노래했을지도

그리고 지금의 난 이곳에서
그리움을 노래합니다

그대들의 잠 못 드는 밤을 빌려
열병으로 시 한 줄 써 내려가는 밤

발신 제한

발신 제한된 외로운 섬에서
더 이상 알 길 없는
그대 안녕 물어보지만

반송되어 쌓여가는
나의 안부 인사들

그렇게 곤히 잠든 별 하나 깨워
그대 평안하길 소식 전해봅니다

마지막 연극

영원할 줄로만 알았던
지리멸렬한 사랑의 연극은

연극이 끝난 뒤 정적만이 남아
배역 잃은 광대는 슬피 울었고

빛바랜 우리의 연극은
결코 재상영될 일이 없다

향기

밤과 새벽 사이 어딘가
쓸쓸한 침대 위
갈 곳 잃은 향기들

내 향기가 좋다며 배시시 웃곤
내 품에 얼굴 파묻던 그대가
문득 보고파

괜스레 들춰본 이불 속엔
주소를 잃은 향기만 남았는데

붉게 물든 추억 꼭 끌어안고
잠을 청해보는 밤과 새벽 사이 어딘가

발자국

문득 돌아본 길 위
함께 나란히 걷던 두 발자국은
어느새 하나만 남아

언제고 함께인 줄 알았던
당신의 발자국이 이제 어디로 향하는지
알 길이 없어 조금 서글픈 마음이 들지만

그럼에도 내가 외롭지 않은 까닭은
그댈 그리며 바라본 저 별빛이
그대 머리맡을 비출 것이기 때문입니다

어디선가 홀로 터벅터벅 걸어가고 있을 그대
문득 외로워질 때면 하나만 기억해주오

그대 어디에 있든지
내 시선에 담긴 저 별빛이
당신 가는 길 인도하고 있음을

오택준

『그리움의 40가지 이야기』

시를 쓰며 그리워하는 이 순간도
먼 훗날에는 그리워지겠죠.

시를 읽으며 그리워하는 그 순간도
먼 훗날에는 그리워지겠죠.

훗날 제 말 중 하나가 그리움에서 피어오르는
한 줄의 문구가 되었으면 좋겠습니다.

제 작은 생각을 통해 무언가를
충분히 그리워하실 수 있으시기를 바랍니다.

2022년의 어느 봄
오택준

홈

천년만년 그 자리일 줄 알았는데
너 떠난 자리 깊게 홈이 남았네
결코 가벼운 사람이 아니었음을
맑게 고인 물이 알려주었네.

민들레

땅에서 하늘로 내리는 눈길아
굳이 너를 말리지는 않겠다만
무슨 마음이 이렇게 섭섭하게 남는구나
뿌리내릴 곳도 넉넉지 않은
저 허연 구름송이에 아등바등 도착하면
노란 꽃을 틔운 뒤 눈이라도 내려주오.

심호흡

가끔은 바람이 그리울 때가 있다
추운 남극을 뛰다니는 펭귄도
차디찬 물속을 헤집는 고래들도
방구석에서 열병을 앓고 있는 아이도
모두 가끔은 따뜻한 바람이 그리울 때가 있다.

향기

피우지 못함에 분해서 썩어버린 꽃의 향기는
이 달밤에 왜 내 코를 간지럽히나

그냥 밤바람에 섞여 분한 맘 덜어내고
향기만 남아도 부족할 것을
왜 내 코를 간지럽히나

지나가던 이 붙잡지도 못하고
이내 사그라드는 향기에 마음이 약해져
불쌍한 기억을 깊이 간직해 본다.

부재

어디쯤 사시길래 보기조차 어렵나요

애타는 마음만 담긴 이 소식은
도대체 누구에게 전해야 할까요

혹시 내 이름을 까먹은 건가 의심하며
내 발걸음으로 온 거리거리를 가득 채웠는데
매번 근처에 닿지도 못한 채 허탕이네요

당신은 매일 무얼 하시길래
이렇다 할 소식 하나 얻을 수 없을까요.

빗물

오늘같이 비가 오는 날엔
빗물 한 바가지 받아 들고선
창에 묻은 추억을 닦습니다

어느 거리를 봐도 그대가 묻어 나오기에
가끔은 더 많은 빗물로 창을 닦습니다

그대는 결국 지워지겠지만
내 창은 빗물 자국으로 가득할 것입니다.

낙엽 구경

아등바등 피어나던 아지랑이의 날은 지나고
하늘을 밝히던 불이 유난히도 빨리 꺼진 날

바닥에 떨어진 마음들이
시려진 바람에 실려 와
소복이 내 발목을 붙잡고
눈을 마주치면 생기 잃은 빛을 발할 때

난 차마 발 빼지도 못하고 우두커니 서서
따뜻한 입김만 내뿜고 있었네.

기차 여행

사진첩에 남긴 시간보다
지금의 눈빛 한 번을 바라고

흔적을 빼곡히 남긴 쪽지보단
잊혀지지 않는 입술이 보고 싶고

오늘따라 두꺼운 유리창이
손의 온기를 못 담아냄이 원망스럽지만
애써 우린 손 흔들며 남은 말을 털어내네.

겨울바람

오늘은 더 시려워진 바람을 맞다
문뜩 다른 세상은 다 얼어붙은 듯
당신 생각만 났습니다

아프진 않은지, 지치진 않았는지
물어보고 싶은 말들이 가득해
그 자리에 얼어붙어 걸을 수 없었습니다

누구에게나 공정해야 하는 계절이지만
당신에게는 이 찬 겨울이 비켜 갔으면 좋겠습니다.

봄비

왜 오늘의 세상은 마르질 않는가
왜 자꾸 가문 곳을 찾기 힘들어지나

그냥,
그냥 오지를 말지
안 왔으면 찾지를 않지
여린 꽃은 비 맞아 아파할 텐데
괜히 찾아와 마른 목 더 메이게 만들어 놓고
왜 다시금 찾아오길 바라게 하나.

신호등

애매하게 점등하는 모습에
갈팡질팡 길을 헤매지 말지

선을 넘어 멈칫할 거면
안에서 얌전히 숨죽여 있지

나아갈 때마다 늘어지는 후회는
내가 다시 되감아야 할 길이라는걸
몰랐으면 자신이라도 말지.

생채기

차라리
크게 얻어맞기라도 했으면 좋았을 것을
별일 아니라고, 아니 있는 줄도 모르다가
길 잃은 시선에 발견됐을 때

뒤늦게 밀려드는 아픔과
원망할 상대도 모른다는 억울함에
그저 발만 동동 구르며
꾹 부여잡지도 못하는
적은 피를 토하는 여린 살갗.

장미꽃 꺾인 날

담장 한편을 한참 동안 바라보기만 했어요

닿을 수 없기에 바라지도 않기에
몇 날 며칠을 멀찍이 구경만 했어요

그러던 어느 날
내 걸음걸음을 앞서가는 아픈 선혈에
내 여름이 벌써 저문듯한 기분이네요

날은 아직 한참을 더 뜨겁겠지만
나는 더운 바람에도 몸서리칠 만큼
담장 한편에서 같이 식어가겠어요.

지옥

수억 년 타오르던 짙은 홍염은
이미 죽어 재의 무덤에 갇히고
저 하늘의 푸르름마저 녹일 듯한
숨결은 멎은 채 시린 공기만 돌고
눈을 적실 한 줌의 빛조차 잿더미에 묻혀
주인도 모르는 세상에 홀로 남아
생전 불러본 적 없던 이름을 입에 담으려니
잿바람 찾아와 입을 우겨 막고
내가 살아날 때까지
아래로 더 깊은 곳으로
끝도 없이 아래로 난 더 깊은 곳으로.

초상화

미안해
힘들게 하려던 건 절대 아니고
그냥 지금 있는 모습이 좋아서

사진을 못 찍는 편도 아니고
그림 솜씨가 좋은 것도 아니지만
순간이 지나면 금방 사라질까 봐
쉬운 기억은 금방 지워질까 봐
조금 더 잡아두려고

오래된 손이지만 천천히 자세히
언제든 꺼내 보려고 그랬어.

눈 녹는 날

온기가 얼어 있던 거리는
서서히 녹아 붕괴되고
바닥에 붙어있던 오물들과
엉망진창으로 뒤섞여
어느 곳을 걸어 다녀도
시커먼 발자국만 남기네.

흐린 날

어제도 오늘도 앞으로도
당분간 하늘이 흐리다

무언갈 그리 숨겨놓고 있는지
쉽사리 모양을 보여주지 않는다

떨어질 비는
더 남아있지도 않은 거 같은데

계속 흐리기만 하니
꺼지지 않는 가로등 불빛만
계속 달아오르는 중이다.

매미

뜨겁게 나른한 날씨에
방해할 것 하나 없다고 여긴 날에
적막을 깨고 웬 매미 한 마리가 운다

기분이 상할 법도 한데
이상하게 퍽 듣기 괜찮다 싶어
좀 더 들어보겠다고
누운 몸 일으켜 닫힌 창문을 여니
그 녀석 더욱 목 놓아 운다

한 놈이라고는 믿기지 않을 만큼
다들 한순간 목 놓아 운다
이렇게나 날이 좋은데 녀석은 하늘이 찢어져라 운다.

집배원

비록 좀 얼룩진 손이지만
오늘은 날이 참 맑아
푸른 편지지에 한 글자씩 그려봅니다

좀 부끄러운 말들로 가득할 때쯤
짓궂은 하얀 새 한 마리가
낚아채 버린 서툰 말들을
돌려받지도 못하고 저 멀리 보내버립니다

붙잡지 못한 시간에
작은 후회가 하나 남을 즈음
맑은 날, 시선 끝에 찍힌 하얀 별 하나가
꽤 오래 반짝입니다.

살충제

철 지난 깡통이라 생각해서
마냥 길거리를 뒹구르는 게
어느샌가 익숙해졌는데

알지 못하는 계절에
어색하게 버티고 있는 너를
보자마자 차오르는 작은 바람들

걷잡을 수 없이 나를 몰아치다
땅을 향해 떨어지는 굵은 장맛비처럼
모든 것이 바람이 되어
빠져 죽을 듯한 돌풍이 되어
그저 너에게로
나의 모든 것이 그저 너에게로 분다.

유통기한

제가 굳이 나서서 당신 눈에 띄는 이유는
당신의 손이 닿기 전까지는 모릅니다

시간을 가리지 않고 환한 불빛 아래서
잠을 참는 이유를 당신은 모릅니다

종종 저를 붙잡는 다른 손길에
아직도 흔들리지 않는 나의 멍청함을
꺼내어 놓지 않으면 당신은 모릅니다

썩어가는 마음을 애써 막는 것도
아직은 괜찮다며 애써 숨기는 짓도
당신은 절대로 꿈에도 모를 겁니다.

고해의 밤

형광빛이 가득 쌓인 공터에 앉아
수명이 다한 별빛을 그리워합니다

나는 그럴 자격이 없음을 알지만
주인 없이 쌓인 빛은 너무나 밝아
내 어두운 곳까지 다 밝혀냅니다

손길을 즐기던 밤 고양이마저
하악질을 하며 짙은 혐오를 뱉습니다

신발 끝에 튄 몇 방울의 오물이
나를 그 자리에서 뜨지 못하게 합니다

나의 속죄는 한 번의 밤으로 모자랍니다.

바람의 온기

세찬 바람이 불어
옷자락이 날 감추지 않는 날에는
애써 여미기보단 두 팔 벌려
바람을 맞이합니다

그것들은
손끝에서, 코끝에서, 품 안에서
한올 한올 풀어 헤쳐지니
각각의 것들은 차갑기보단 따뜻해
땀방울이 주르륵 턱 끝에 모입니다

땀방울이 바닥을 적시며 식는 동안
이런 날들이 잦을 것 같은 예감에
허우적거리며 펄럭이는 옷자락을 붙잡습니다.

엉겅퀴 : 고독한 사람

싱그러운 상록의 물길 가에는
보라색 밤을 꿈꾸는 숨결이 있다

어쩌나 자연스러운지 괴상하지도 않고
바라보기에 마음이 썩 편하다

그것에 이끌려 손이 나아가
그것을 꺾으려 힘을 주거든
고약한 녀석이 숨긴 가시를 들어낸다

비명을 지르며 달아나는 중
마주한 하늘은 보랗게 물들더니
지난 수목들은 병들어 쓰러지고
악몽을 끊으려 흘려보낸 눈물들은
숲의 가물음에 파묻혀
원망할 것이라곤 아픈 내 두 손뿐이니
잘라내지도 못하고 평생을 시달릴 불치병만 얻었네.

백야

거대하고 공허한 대지에는
낮과 밤의 구분이 없습니다

내가 눈을 감는 순간은 밤이고
내가 눈을 뜬 순간은 낮이 됩니다

어딜 가도 빛과 꿈이 공존하여
잠과 일, 모두를 이루지 못합니다

어딜 가도 떨어지지 않고,
지워지지 않고, 잊히지 않아서
나는 많은 걸 이루지 못합니다.

삼눈이

저는 삼눈이입니다

등에 박힌 커다란 눈을
짊어지고 사는 삼눈이입니다

옷으로 가려 놓아도
뒤가 보이는
쉴 수 없는 눈입니다

앞으로 나아가는 발걸음을
뒤에서 찬찬히 흘려 보내주는
한가한 눈입니다

마르고 피곤한 줄을 몰라
두 눈을 감고 잠이 들어도
멍하니 뒤를 바라보며 사는
저는 삼눈이입니다.

다정 후유증

무덤덤하게 보내는 말은
나에겐 정말 큰 복수예요

훗날 더 큰 벌을 받는대도
당장 무정하지 않는다면
다정함이 차올라 울어버릴 것 같아요
철없게 웃으며 안아버릴 것 같아요

그러니 더는 바라지 않을래요
구걸하여 얻은 다정은
어떤 벌보다 더 무서워졌어요.

주전자

한걸음에 다가와 제 속을 끓이고 가는
그대는 참 따뜻한 사람입니다

날 찾을 이유가 없으면 무관심을 주는
그대는 참 잘 베푸는 사람입니다

어쩌다 참지 못하고 흘러넘친 제 마음을
경악하며 원망하고 짜증 섞인 말을 뱉어도
당신에게 닿지 않음을 기도하고 바라며,
못난 나는 눈물 흘리며 속만 더 태웁니다

그런데도 버리지 않으며
무심하게 다가와 제 속을 끓이고 가는
그대는 제게 해롭지 않은 사람입니다.

오늘의 날씨

오늘의 날씨입니다
맑을 예정이었던 하루는
이상기후로 인한 먹구름과 안개가 가득 껴
세상이 흐리고 회색빛으로 바랠 예정입니다

또한 강한 바람이 불어
호흡기와 눈을 보호하지 않으면
온종일 눈물과 호흡 장애에 시달릴 것입니다

갑작스러운 날씨 변화의
원인을 분석하자면
우산도 차도 마음도 없는 그대가
집에 돌아가지 않기를 바라는
미운 마음 때문인 것 같습니다.

장마가 그치질 않아

이른 봄부터 시작된 장마는
꽃봉오리 울음소리를 다 죽이며
여름의 초입까지 밀고 들어왔다

이젠 습하다 못해
물이 차오르는 물잔을 바라보니
흘러넘치기 직전의 잔잔한 수면

담긴 물이 넘친다면
더 이상 컵의 의미를 다 못하는 걸까
그냥 산산조각이 날려나
아니면,
이 지독한 장마가 먼저 끝이 날려나

팽팽한 호기심만 가득해
누워서 마냥 바라보는 잔잔한 수면.

불구경

쾌청한 하늘에는 허연 잿가루가 날려요
근처에서 아주 거대한 불이 났나 봐요
어제만 해도 온전했던 풍경이
뜨겁게, 아주 뜨겁게 물들고 있어요
침 튀기며 물을 힘차게 내질러도
큰불을 끄기에는 한참 부족하네요
그저 잿방석에 주저앉아
타닥, 타닥 타는 소리 들으며
다른 곳에 옮겨붙지 않길 바라야죠.

귀향길

종일 날뛰던 짐승들의
울음소리를 뒤로하고
불어 터진 발을 달래가며
겨우 도착한 나의 마을

백 리 비단길은 바라지도 않았건만
모든 걸 견디고 돌아와도
따스한 손 내어줄 이 하나 없고
욕이라도 좋으니 말 걸어줄 이
어디에 꼭꼭 숨어버렸나

의아해하던 찰나에
주위에선 다시 들려오는 짐승 짖는 소리
다시 달아나는 불어 터진 다리
또다시 찾아 나서는 나의 세상.

해바라기

한동안 바람이 드나든 적 없는 창가와
한동안 젖은 흙만 가득했던 화단에는
사람 손을 타지 않은 꽃 세 송이가 핍니다

창 너머로 바라본 그들은
눈높이가 나와 비슷해서
친구 맺기 퍽 괜찮습니다

한 놈은 나를 바라보고 있고
한 놈은 나와 같은 곳을 보고 있고
한 놈은 목이 꺾이지 못해
하늘만 쳐다보고 있습니다

종종 버리고 싶은 말들이 생길 때
같은 곳에서 자라나도
바라보는 일조차 맞추지 못하는
바보 같은 녀석들 옆에 서서
누가 들을세라
고갤 푹 숙이고
낮은 말로
주저리주저리 떠들다 돌아옵니다.

세입자

내 신명 나는 춤사위가 허락되는 건
작은 방 하나,
그중에서도 침대 아래 영역뿐이다

발걸음을 뻗어 문지방을 넘을 세면
부리나케 달려와
짧은 고함 소리, 찢어질 듯한 굉음과 함께
문이 닫힌다

그 고함에는 내 이름이 담겨있다
세글자 또박또박 온전히 담겨있다
나는 기뻐 어쩔 줄을 모른다

환희에 가득 차 비명을 지르고 있노라면
다시 문이 열리고
긴 매타작 소리, 새어 나오는 비명과 함께
온몸이 풀린다

내 주지 못한 마음이 허락되는 건
작은 방 하나,
그중에서도 침대 아래의 나 자신뿐이다.

별 무리

늦은 오후 발걸음을 아무리 재촉해도
속절없이 떨어지는 해는 막을 수 없네요

주홍빛 하늘이 넘어가고
짙은 군청의 밤이 찾아오면
푸르름을 비웃는
철없는 어린 별들이 하나둘 모여들겠죠

구름들이 살아 있는
한낮에는 볼 수 없던
제 멋대로인 별들이 무리를 짓겠죠

내 시간을 알지 못하는 그들은
삼삼오오 모여 수군대더니
지붕 없는 세상 어디든
따라다니며 날 놀려먹어요.

그대에게로 기울어진 밤

그대에게로 기울어진 밤
저는 밤 끝에 홀로
아등바등 매달려 있는데
그대는 평온히 쉬고 계십니까?

달과 별이 우수수 떨어져
제 머리를 무심히 치고 가는데
그대에겐 별일 없으십니까?

홀로 견디는 어둠은
어떤 계절 중이라도
견딜 수 없이 시린데
그대는 그간 감기 한번 안 하셨습니까?

나에게만 높이 치솟은 밤
위태롭게 휘청거리고 있는데
그대는 언제쯤 저를 내려놔 주실 겁니까?

사냥

그대의 멈춘 숨소리를 가져가야 내가 돌아갈 수 있어요
나와 화해할 수 있어요

그러니
품에 안길 듯 달아나고
사라질 듯 나타나지 말아요
방아쇠를 고민하게 하지 말아요

부디 은은한 피 냄새를 풍기며
잠든 내 발치에서 천천히 죽어 가 주세요.

약속

당신과 내가 손으로 맺었던
작은 고리,
우리 최초의 약속을
당신은 기억하십니까?

유독 짧았던 그 길
눈치 없이 환했던 가로등 불빛
그 아래 우리의
최초의 입맞춤을 기억하십니까?

당신이 옆에 있음에도
하염없이 당신을 기다리던,
속상한 말을 무심하게 늘어놓던,
그날
최초의 아픔을 당신은 아십니까?

우리가 너무 답답하다며,
나는 자유롭고 싶다며,
맨발로 돌아가던 날
우리의 최초이자
우리 최후의 거짓말을
당신은 정말 기억하고 계십니까?

그냥 하는 말

잘 지냈냐는 말에
그런 건 잘 생각해보지 않아서
그냥 그렇다고 답했습니다

뭐 하며 사냐는 말에
당신을 빼고 말하고 싶은데
아무 대답도 할 수 없어
그냥, 그냥,
그냥 대화를 흐려버립니다

잘 지내라는 말에
의미는 찾기 싫어서
그냥 그러겠다고 말 했습니다

그날 집으로 돌아가는 길에는
평소보다 더 많은 신호에 걸렸습니다.

작은 생각

정거장의 버스는
마냥 서 있지 않습니다

천진난만한 아이의
순수한 소년스러움은
청춘이란 이름으로 변질됩니다

라일락꽃 가득한
봄의 낭만도
언젠간 시들어 버림을 알고 있습니다

사랑을 속삭이는 노랫말도
영원 앞에선
무용지물의 약속임을 느끼고 있습니다

그렇기에 가끔은
그립고, 그리워하며, 그리워해야
의미가 있을 것 같습니다

그냥 제 작은 생각입니다.

장희란

『수많은 사랑을 모아 그대에게』

시라는 어여쁜 둥우리를 빌려본
나의 서투른 위로가

그대들의 마음 한켠에
조금이나마 차곡차곡 전달 되길

2022년 봄날
장희란

방울알의 외침

내 뺨에 와닿은 그대의 무관심은
놋 방울과도 같아서
도저히 만질 수가 없어요

잔뜩 낭비한 채 떠나가세요
내 사랑은 늘 반대로 흘러가니까

언젠간 두 뺨에 닿는다면
그땐 내 마음속 방울알들이
반짝이며 감히 흔들려주길

은빛 풀의 꿈

잠들어 있던 꽃이 피어나
금빛으로 반짝이는 이야기를 펼쳐내

나는 너에게 금빛 꽃이 되어
너의 눈망울을 지긋이 바라봐
은빛 풀을 키워보겠다 다짐해

유일무이한 은빛의 풀잎

파랗디파랗게 빛나게 될
햇살을 담뿍 담은 꿈의 정원

병명은 없습니다

턱 끝까지 차오르는 말을 삼키지 마세요
내뱉어봐야 그 의미를 알 수 있습니다

끓어오르는 화의 불씨는 적정온도로 맞춰주세요
끓고 있는 물보단 미지근할 겁니다

병명은 없습니다
그러니 안심하고 쉬어가세요

그리움도 그 자리에

그리운 것들은
여전히 그 자리에 남아있다
그러니 여미지 못할 감정들은
고이 간직해도 좋다

그리움의 반대말은 없으니
대체할 단어를 떠올리지 마라
원 없이 마음껏 그리워하라

거기에 있었다

내게 마음을 빼앗긴
너의 표정에서
사랑의 황홀함이 드리우고

네게 무심하게 굴던
나의 지난날에서
슬픔의 파도가 몰아치고

기억나지도 않을
그런 시간이
우리에게도 있었다

느리게 걷는 연습

우리 느리게 걷는 연습을 해보자
내가 기꺼이 앞장설 테니
너는 꼭 내 옷자락 끝을 잡고
주저 없이 따라만 와주라

가까워진 이별이 싫어
우린 나란히 걸을 필요가 없어

마지막 장의 겨울

우리의 첫 장면으로 돌아간다면
끝이 없는 결말 속에서

네가 선물해준
흠뻑 물든 가을의 조각들만
살포시 꺼내 갈 테니

너는 종이를 찢지 말아주라

나는 우리의 가을이
나만의 가을이 되어도 좋으니

마지막 장의 겨울은 네가 가져가 주라

거짓 눈물

날 똑바로 마주할 자신도
없었으면서
나를 위해 매번 울어줄 것도
아니면서

아스라이 떨어지는 네 눈물을 봐
멋쩍은 웃음으로 무마하기엔
너무 분명했겠지

넌 대체 왜
뒤돌아서 울었을까

사랑의 역사

내 기억은 참 짓궂게
과거를 들춰내고
조작된 사랑의 역사를 빚어내

다른 기억은 결국
포장된 역사의 한 페이지를
창조해버려

맞아
내 사랑엔 멋진 역사란 없어

근사한 보증수표

선물 같았던
나의 근사한 하루는

매일 밤
나를 괴롭히던 생각들과

어느 날의 모험으로 일궈낸
값진 보증수표였다

그대를 떠올린 건

바다를 보며
그대를 떠올린 건

광활한 바다의 경치보다
반짝이는 모래알을 움켜쥐며 웃는

그대의 마음속 순수함이 좋았기 때문입니다

오답 노트

정답이라곤 없는
나의 세상 속에서
너 여야만 하는 이유는 충분했다

불규칙하게 써 내려가던 오답 노트를
갈기갈기 찢어놓고 싶을 만큼

네가 좋았다

늦은 이별

갑자기 네가 생각날 땐
어떻게 해야 해

애써 담대하게 지워낼 준비
생전 느껴본 적 없는 감정을 즐겨

근데 그다음은
정해주고 떠났어야 해

이 공허함은 이겨낼 자신이 없어
진심으로 괜찮아질 리 없어

시간의 척도

시간은 늘
나한테만 가혹해

이제 막 깨닫기 시작했는데
그 아픔의 척도는
있긴 할는지

정해져 있지도 않아서
편히 놓아주지도 못해

하나객담

먼지가 휘날려
담은 이미 무너졌어

잔돌들이 쌓아준 잣백담
그 높이만큼 쌓였을 우리의 추억담

멀어질 대로 멀어진
사이의 틈

애써 담으로 둘러보는 거야
그렇게 잊어가는 거야

0프로의 확률

나는 당신이 엎질러 놓은
불온한 공기의 흐름을
감내할 자신이 없다

망가진 시간의 초침

작은 움직임조차
나에겐 떨림

결국 주사위는 던져졌고
혼자만의 마이너 리그가 시작됐다

알아가세요

너를 좋아해요
참 많이도 고민했습니다

나를 찾지 마세요
주저하지 않고 도망가렵니다

나를 알아가세요
그땐 뜨겁게 웃겠습니다

네가 나를 알아가는 동안
너를 배우며 눈물짓겠습니다

그러니 너의 속도로
나를 사랑해주세요

미화

지웠다
결국 다시 그렸다

난 이별의 순간에서도 너를 그려
그리고 제법 멋있게 색칠해

의미 있는 되뇜

느슨하게나마
속상한 마음을 내비쳐

어제도 그럭저럭
오늘은 그냥저냥

괜찮아
내일이면 행복해져

다들 그렇게 믿어보는 거지
다들 그렇게 살아가는 거지

번호

그날 나를 힘들게 한 건
지운 네 번호가 아니라

지워진 내 번호와
기억나지 않는 네 번호였습니다

네 번호를 지우고 내 번호가 지워진다는 건
우리의 기억을 지우겠다는
가장 괴롭고도 큰 결심이었습니다

네 생각

책상머리에 걸려있는 네 생각

거울 속 새초롬히 비친
새빨개진 곁 뺨

쏟아지는 부끄러움과
자글자글 드리우는 햇살의 눈 부심

터질 것만 같은 심장
내가 너를 떠올리기 싫은 아주 작은 이유

잘 자

상쾌한 아침이라는 건
갑자기 찾아오는 게 아니야

잘 잤을 리가 없는데
굳이 마침표를 찍는 건 너야

한숨 자고 나면 괜찮아지는
그런 가벼운 말이 아니었는걸

선택의 순간

선택의 순간은 언제나 있었어
다만 날려버릴 용기도 필요해

그래
이게 내가 널 사랑하는 방식이야

네가 한눈팔 수 있는
기회를 준 거지

그래도 내일의 시간은 찾아와

결국 내 시간은
대책 없이 흘러간다

담지 못할 기억들도
흩뿌리고 만다

내일은 부디 행복해져라
내일은 유의미한 하루가 되어라

알량한 비밀

너에 대한 호기심은
멈춰있던 내 자존심을 무너뜨려

괜한 오지랖이었나
괜한 기대를 했나 싶었는데

스치는 너와의 시선은
숨 막힐 듯 설레어와

결국 나만의 비밀이
너에게 닿아버린 날

1초의 용기

딱 한 번만
단 1초라도 좋으니
손을 잡아주고 싶었다

얼마나 따뜻한 사람이길래
얼마나 나를 흔들 작정이길래

잡아보고 싶은 손이 아니라
잡아주고 싶은 손을 가진 사람

온기가 닿아 따뜻해졌으면
내 품에서 떠나지 않았으면

꿈을 꿨어요

따스한 꿈을 꿨다고 생각했어요

그날은 분명
내가 본 새벽 중에 가장 예뻤거든요

그러니 당신도 잊으면 안 돼요

작은 기억들은
절대 작지 않은 선에서
기록되니까

겨울이 긴 이유

내 시야 가득 펼쳐진
겨울의 풍경
얼어붙은 내 손은
서서히 봄의 씨앗을 나르는 중

짙은 겨울이 다 지나기 전에
나에게 쪼르르 달려와

두 팔 벌려 힘차게 안겨
뽀얀 봄꽃을 선물해줄게

마음의 바다

너에게 다다르기 위해
몇천 번의 물결을 견뎌왔는지

얼마나 많이 울었고
어쩌나 조금 웃었는지

아마 너는 평생 모를 거야

투명한 방어막에 둘러싸인
내 마음의 바다

홀로 놓인 나룻배엔
뱃사공이란 없는 법

두 사람

아롱대는 구름 너머
보이는 두 사람

너흰 어느새 닮아가
나는 점점 닳아가

찾아오지 말걸
그리워하지도 말걸

나의 괜한 호기심
사월의 무의미한 햇살

계절이 존재하긴 했나요

초여름의 햇살을
고스란히 간직한 채

늦가을의 낙엽을
홀연히 담아보아요

때아닌 초겨울의 냉기
추위를 느끼기엔
이곳은 따뜻합니다

계절이 바뀌었다는걸
이제야 알았어요

어서 나에게 와
두 볼을 어루만져 주세요

별과 달

들리냐 물었지
보이냐 물었지
너를 사랑하냐 물었지

들려
보여
참된 마음으로 너를 사랑해

별의 노래는 한 편의 시를 만들고
달의 춤사위는 새벽의 꿈을 잊게 해

나를 너무 잘 아는 네가 미워

예뻐요

참 예쁘게도 웃네요

희붉은 얼굴을 보고 있으면
가슴이 엷어지는 듯합니다

차마 거둬갈 수 없는 마음
하지만 쉼 없이 예쁜 그대

오늘은 눈이 부실 만큼
운이 좋네요

시듦병

타버린 마음과
무심한 태도

그 순간들을 마주했던
물기 없는 우리

스쳐짐의 감옥 안에 갇혀
외로이 사라질 준비를 해

쉽게 시들어 버린 거야
빨갛게 익어 버린 거야

너는 달과 같아서

오월의 새벽
가장 늦게 일어나 바라본
별들의 짧은 시간

요동치는 심장의 뭇별
고요하게 휘몰아치는 바람

내 마음을 아는 건지
날씨도 참 유난이다

맨송맨송한 달의 표면
한 번이라도
보듬어 봤으면

꿈의 문장

말갛게 웃어버리면
난 황홀감에 빠지고

선명하게 보이면
꿈결처럼 흐릿해

미숙하게 그려보는
꿈의 문장

과연 너는
꿈이었을까

실수

이 바다에 마음껏 속삭이고 떠나요

꾸며 말하지 않아도 알아요
굳이 되짚어 볼 필요 없어요

우리는 각별한 실수를 했구나
그런데도 웃을 수 있구나

내 사랑의 열기는
실수를 매일 안고 살아가요

달덩이 같은 사람

달덩이를 가져다줄 거라며
근데 너는 왜
달보다 예쁜 맘을 지녀선

좋은 기분을 가져다준다며
근데 너는 왜
바라만 봐도 기분이 좋아져선

기억 조작

너는 내 기억을
송두리째 바꿔놓고

나는 오늘도
별 뜻 아닐 너의 언어들을
제멋대로 해석해버려

그러게 왜 나를 갑자기 찾아와서는
그러게 왜 나를 빤히 바라봐서는

그리움은 달빛 너머에

여름밤의 별빛은
유난히 아름답습니다

내가 찾던 그리움들은
별빛들을 따라 우주를 항해하고

시간이 흘러도
그 자리에 머무를 겁니다

오늘 밤이 지나면
달빛이 몰려옵니다

나는 그 달빛을
사랑하기로 했습니다

박주언

『치열하게 살아가고 치열하게 사랑하자』

오늘의

스물셋 청년은
사랑 하나로 만들어지고

내일의

스물셋 청년과 당신은
치열하게 살아가고
치열하게 사랑하기를

점 위에 갈고리

내 이름은 물음표

작은 점 위에
그대의 마음 낚아보고자
큰 갈고리 이고 다니건만

그대는 마침표

끌 틈조차 주지 않고
갈고리만 홀랑 빼앗아
점 하나 찍어 끝마치기만 하네

하얀 거짓말

지폐를 쓰지 않다보니
먹어도 찌지 않는 지갑

찰칵 찍으면 바로 뱉어내는
사진기 발견하고

지갑아 먹은 거 토해봐라
나도 하나 사보자

그녀와 찍고자 샀다는
마음은 꽁꽁 숨기고

친구에겐 같이 쓰려 샀다
거짓말, 하얀 거짓말

먼 길

오직 그대를 보기 위해
먼 길을 달려왔습니다

그럴 가치가 있을 정도로
당신은 밝게 빛났습니다

동그란 안경에
연한 화장 빛이

얼굴엔 미소를
심장은 춤을 추게 했습니다

넋 놓고 바라봤습니다
당신은 참으로 아름다웠습니다

좀 더 함께 있고 싶었습니다
그러나 시간은 겨울바람과 같이
차갑게 저를 마중 나왔습니다

왕자님을 앞에 두고 떠나야 하는
신데렐라의 마음이 이해됩니다

허둥지둥 뛰쳐나가는 그녀와는 다르게
저는 천천히 유리구두 대신
제 마음만 살포시 놓고 갑니다

밝은 미소의 그대여, 저는 떠나가지만
유리구두 주웠던 왕자처럼

부디 제 마음 알아주시길 바라며
저 밤하늘 벗 삼아 내 마음 끄적여 봅니다

하늘이 녹아내린다면

하늘이 녹아내린다면
그림을 그릴 거야

푸른 하늘 콕 찍어
파란색을

뭉게구름 콕 찍어
하얀색을

밤하늘 콕 찍어
검정색을

반짝 별 콕 찍어
노란색을

하늘이 녹아내린다면
하늘의 모든 색 모아모아

너를 향한 표현할 수 없는 이 마음
하늘 물감 삼아 그리고 그려

너에게 선물할 거야

다른 사랑

거짓된 사랑
잘못된 사랑

외롭다 느끼니
외로운 사람 만나
혼자만의 사랑을 한다

서로 외로우니
바라는 것은 많으나
채워줄 것이 없다

진실된 사랑
올바른 사랑

나를 먼저 사랑하니
채워진 사람 만나
서로의 사랑을 한다

서로 가득하니
함께할 것도
채워줄 것도 많다

꽃 한 송이 사려 합니다

꽃 한 송이 사려 합니다
개나리 진달래 해바라기
꽃에 무지하지만
당신같이 예쁜 꽃 한 송이 사려 합니다

꽃 가게 앞에 서 있습니다
빨강 노랑 하양
당신이 어떤 색을 좋아하는지 모르지만
당신 같이 밝은색을 고르고자 합니다

당신 앞에 서 있습니다
예쁨 밝음 고음
당신을 수식할 많고 많은 표현이 있지만
당신 같은 꽃 한 송이 전해주려 합니다

꽃을 손에 쥐고 미소 짓는 그대
내 앞에는
꽃 두 송이가 있습니다

익숙함에 속아 소중함을 잃지 말자

당연한 것은
감사하지 못한 것

살아 숨 쉼에
해가 뜨고 짐에

당연한 것은
익숙함에 속아
감사하지 못한 것

소중한 나날에
사랑이 있음에

익숙함에 속아
눈앞에 가려진
당연함을 감사하길

개구리

개구리
개굴개굴 하고 우네

뭐 땜시 그리 우냐 물어보니
짝 찾아 운다 하네

나도 울면
짝 찾을 수 있냐 물어보니

개굴개굴
날 위해 울어준다 하네

개구리야
나도 사실 울 수 있단다

제발 제발

부디 부디!

사랑

사랑은 무엇인가

채움 받기보다
채워 주기를 원하는 것

사랑은 무엇인가

마음과 몸이 하나로
실천을 통해 이루어지는 것

사랑은 무엇인가

혼자서도 굳게 서며
둘이서는 더욱 굳건한 것

예수 그리스도
그가 참 사랑이었네

용기 없는 용사

밤하늘을 보면
그대가 좋아하는 별이 보입니다

별이 보이기에
그대가 생각나는 밤이 되어버립니다

입꼬리 살짝 올라가는 찰나에
깊은 한숨 먼저 내 입을 통해 도망칩니다

그대는 저 별처럼
지금도 밝게 빛나리라 믿습니다

그러나 그대의 빛이
나를 향한 것이 아님을 알았기에

용기 없는 용사는
칼을 내려놓으렵니다

그대 앞
아무 말도 할 수 없었던 저는
고개를 떨구렵니다

그래도 칼 대신 펜 잡아 올려
글로서라도 내 마음 전해봅니다

길 잃은 아이처럼 오랜 시간을
그대 잊지 못하고 방황했지만

그래도 뜨겁게

사랑했습니다

사진

사진
을 찍는다
보다

사진
에 담는다
라고 표현하고 싶습니다

사진기가 눈을 감는 그 찰나의 순간
당신과 나의 추억이
사진 속에 영원히 담기기 때문입니다

미소가 예쁜 그대 얼굴
수줍음에 다른 곳을 보는 나
춤을 추듯 흩날리는 꽃잎까지

찰칵! 하는 그 짧은 시간 속
당신과 나만의 무언가가
영원히 담겨 남아있습니다

이번에는 사진기를 대신하여

내 눈과 마음으로
찰칵! 하고 그대를 담아봅니다

내 마음에 담긴 사진 속 그대를
숨을 쉬듯 생각할 것이고
오랜 앨범 펼치듯 기억할 것이며
마음속 사진 바래 없어질 때까지

사랑할 것입니다

꽃의 이름

길을 걷다
꽃 한 송이 발견했다

아름다운 모양새와
향기로운 향을 내뿜는 것이

나를 매혹시켰고
그 곁을 맴돌게 했다

손을 뻗어
꽃에 다가가 보았건만

꽃 속 작은 가시
내 속 깊숙이
파고들었다

가시에 찔려 아파하면서도
그 꽃을 떠날 수 없어

새벽 모두가 잠든
나 홀로 깨어

이 꽃이 무엇인가 신께 소리치니

그가 답했고
답을 들은 나는
허탈이 꽃을 놓을 수밖에 없었다

꽃의 이름은
사랑이었다

옛 노래

옛 노래를 튼다
옛 시절 가수의

사색에 잠긴
청년 나만의

노란 해뜨기 직전
대학 기숙사 침대 위 누워

나 없던 과거 노래
그 상황 순간 배경 이해할 수 없어

그 대신 울 아버지 어머니
내 나이 때 어땠을까

고민하다 보니
붉은 해는 안녕

탐정

이유 모를 연락에
오늘 밤 나는 탐정

글자 여럿에 집중하고
그 여럿의 의미에 잠 못 이룬다

보이지 않는 진실에
다수의 갈래 길

어느 길을 걷느냐에 따라

나는 탐정
성공한

나는 탐정
실패한

오랜만에 본 친구

오랜만에 친구를 만났다
그것도 병원에서
그것도 입원해서

오랜만에 본 친구 얼굴에
일단 반갑게 인사한다
일단 반갑게 웃고 본다

오랜만에 본 친구가
자기 놀라게 하지 말라며
눈물 훔친다

오랜만에 본 친구의
뜻밖의 반응에
어찌할 줄 모르다

같이 운다
보이지는 않고
마음으로 운다

친구야

와줘서 고맙다
울어줘서 고맙다

난 괜찮다 친구야
벌써 다 나은 것 같다

부둣가를 따라

부둣가를 걷다
떠남 없이 멈춰있는 배는
섬이라 불러야 하지 않을까

배가 파도를 거슬러
제 자리를 떠나갈 때
비로소 배라 할 수 있지 않을까

사랑도 그렇다

단순히 좌초되어 있지 않고
부둣가를 떠나 목적을 따라

품기보다 표현하고 행동할 때
기쁨 넘치고 행복 가득

계산기

전화 한 번 하면
내 마음 들킬까

문자 한 번 하면
거리가 생길까

이런 핑계
저런 계산

고민했던 것 허무하게
표현하니 가까워진

그대와의 거리

빛바랜 기억

너는 무얼까
사랑이 무얼까

흐릿한 추억
일기 통해 기억나듯

빛바랜 기억
다시 살아났네

너를 보자
내 심장은 고장 난 시계
규칙 없이 움직이고

옆에 앉자
내 눈은 고장 난 사진기
초점 잃고 말았네

스물
젊음
청년

풋풋했던 그때가
너를 만나니
다시 살아났네

너는 무얼까
사랑이 무얼까

빛바랜 기억
다시 살려냈으니

내 마음 좀
해결해주오

회중시계

그대 옆에 서 있을 때
두근대는 심장 소리에

시계 소리라 변명하게
회중시계 목에 걸었네

아차 평소보다 빨리
두근두근 뛰는 소리

회중시계 정직한 속도에
내 마음 들키고 말았네

눈웃음

눈웃음 한 번에 사라지는
크다 할 수 없는 눈

안경 쓰는 날
다소 아쉬운 날

모든 시선을 집중시키는
작디작은 그대의 눈

웃음보는 날
세상 행복한 날

여느 때처럼 그대를 보니

어느새 그대로 울고 웃네

신념

이거 어쩌나
세상에 사랑이 사라졌네

실수에 용서보다
분노와 원망만 가득히

다름에 조화보다
차별과 미움만 가득히

타인에 사랑보다
이익과 거짓만 가득히

이거 어떨까
세상에 사랑을 보여주면

실수에 용서와 격려를
다름에 조화와 인정을
타인에 사랑과 존중을

사랑하며 살고 싶다

슬퍼 울어도 사랑하고
기뻐 웃어도 사랑하고

모든 순간에 사랑하며 살고 싶다

술과 사랑

작은 술잔 계량컵 삼아
위스키 반 잔 채우고

얼음과 인사시킵니다
일러 차가운 안녕

좀 더 큰 잔 준비하여
희석된 위스키 넣고

음료와 인사시킵니다
불러 달콤한 안녕

이리 저리 섞다 보니
제법 모양새가 나옵니다

한두 모금 마시다 보니
향 은은하게 올라옵니다

향의 출처가 나무라는 것이
놀라워 입안에 가둬봅니다

허나 밋밋한 것이
그대 이야기가 빠졌네요

어느새 술잔은 조연이 되고
그대가 주인공이 되어

비어가는 술잔에 얼음만 남고
끝나가는 이야기에 설렘만 가득

짝사랑

나는 배웠네
애정은 사랑이 될 수 없음을

그저 사랑의 한 부분이
나를 이토록 아프게 했음을

눈꺼풀이 깊은 한숨을 따라 내려가고
이리저리 부서져 떨어진
마음들을 줍는 것이 고달프고 아프지만

나는 말하네
나쁜 것은 아니었노라고

그저 사랑을 향한
의미 있는 과정이었노라고

이 순간마저
내겐 시침으로 흘러가고
네겐 초침으로 흘러가겠지만

나는 말하네

시계의 모든 침은 돌고
새로운 내일을 맞이하듯

나 또한 이와 함께할 것을

향수 한 병

우리 함께한 나날들을 담으면
향수 한 병 나올 것이오

향긋하고
미묘하며
달콤했던

잊을 수 없는 그런 향수 한 병

이와 달리

우리 멀리한 나날들도 담으면
향수 한 병 나올 것이오

건조하고
매콤하며
미미했던

잊고 싶은 그런 향수 한 병

어떤 향도 우리의 향기

함께 했던 그때 떠올리게 하는

그때의 향을 잃어도
그대 나를 사랑이라 불러주오

가진 것 하나 없어도
나의 마음은 붉은 국화

잠잠히 웃는 그대

그런 날이 있다

강한 비바람에
닻이 무너지고

배는 금방이라도
폭풍우에 잡아먹힐 듯하지만

정작 파도는 다시금 넘실거리며
생사를 오갔던 나를 비웃는
그런 날이 있다

오늘은 내게 그런 날이었다

그대를 연모하여
사랑하는 마음 배 위에 싣고

노를 이리저리 바꿔가며
내 마음보여 보았지만

폭풍우가 지난 뒤 바다처럼

잠잠히 웃는 그대 미소

배는 전복되고

사랑하는 마음
어두운 바다 아래

깊숙이
침전

불안

부지런할지
게으를지
시간을 내 멋대로

내게 자유는 주어졌다

공의로울지
부당할지
양심을 내 멋대로

내게 자유는 주어졌다

자유 속 나는 완전하고
높게 날아올라 궁극적 행복을
얻을 것이라 믿었으나

자유 속 나는 속박되고
너무 높게 날아오른 나머지
불안을 떨칠 수가 없었다

인간은 홀로 서지 못하기에

완전한 자유는 존재하지 않는다

키르케고르, 그가 옳았다
불안은 자유의 현기증이다

살아갑니다 요즘을

안녕하세요
잘들 지내셨나요

날이 변덕스럽습니다

새침 차갑기도 하면서
발랄 따습기도 하네요

곧 꽃들이 피겠지요
그 예쁜 꽃들이 바람에 흩날리며
우리게 인사하겠지요

오랜만이에요
잘들 지내셨나요

다시 돌아오기까지
어떤 삶을 살아오셨나요

꽃이 기다려집니다
그 아름다움이 기다려집니다

하루하루 날의 변덕에 비위 맞추며
나름의 낭만과 의미를 찾아가는

요즘을 살아갑니다

김진희

『추락은 비상을 위한 숙명이었다』

누가 가르쳐주지 않아도
나는 세상을 시로 보는 법을 알았다
빗소리가 말을 걸어오고
눈 쌓인 산이
순백의 드레스를 입은
처녀로 보이는 날엔
쓸 수밖에 없었다
쓰고 싶어 미쳤다
기어코 시는 쓰여졌다

나의 온 몸, 온 감각, 온 마음으로
세상을 쓰는 일
그렇게 나는 기어코 쓰여진다.

이별 예의

안녕이라고 처음 인사하듯
잘 가라는 끝인사는 예의인걸
너는 올 때도 갈 때도
예의가 없다.

그해 여름 나는 이별을 테이크 아웃 해왔다

나는 그해 여름 자주 가는 커피점에서
이별을 테이크 아웃 해왔다
어제와 다르지 않은 모습으로 마주 앉은 그는
그제와 같은 아이스 아메리카노를 마시며
처음 만났을 때도 썼던 익숙해진 사투리로
이별을 이야기했다

사랑은 끝났지만, 세상은 고요했고 변한 것은 없었다
평온한 세상에 낯선 미친 자가 되고 싶지 않아
나는 이별을 테이크아웃했다
캐리어에 담은 이별이 초라해지지 않도록
허리에 힘을 준다
흔들리지 않으려 애쓰는 얇디얇은 굽은
애처롭기 짝이 없다

길모퉁이를 돌아 그의 모습이 보이지 않을 때쯤
흘긴 바라본 이별은 저 혼자 땀인지 눈물인지 모를
물방울들만 줄줄 흘려대고 있었다.

아무렇지 않으려 노력한 내 뒷모습이 무색하게
테이크 아웃 해 온 이별은 혼자 오열하고 있었다
너무 뜨거운 여름에 한 이별이었다
너무 뜨거운 이별이었다.

자발적 미아

기다리라고 말한 적이 있었는지
돌아온다는 약속을 쥐여준 적이 있었는지
나는 기억나지 않는다

기억이 안 나는 것인지
기억에 없는 것인지
기억하고 싶지 않은 것인지
나는 모른다

너는 간다고 했고 나는 울었고
너의 뒷모습이 점차 흐려지고
그리고 나는 길을 잃었다
여기 이곳에서 한 발자국도
움직이지 못하는 미아가 되었다

허나, 아무도 나를 찾지 않는다
사라진 나의 사랑을 아무도 찾지 않는다
그러니 실은 미아가 된 것은 나의 사랑이었다
나의 사랑이 안쓰러워 나는 자발적 미아가 되었다
아무도 찾지 않는 길을 지워버린 미아가 되었다.

리멤버 미

나를 기억해줘요
나는 당신의 기억 어딘가
돌부리가 되어 박혀 있을게요
무심히 거닐다 툭 걸려 넘어지면
잠시 주저앉아 날 기억해줘요

때론 당신 기억의 작은 가시가 되어
부드러운 손길로 추억을 더듬거릴 때
그대 고운 손끝에 잠시 박힐게요
그때 나를 가만히 기억해줘요

나는 그렇게 아주 잠깐이면 되요
그러니 나를 기억해줘요.

형벌

너를 놓친 모든 순간은
형벌이었다
무거운 한숨에 짓눌린 고개,
시선은 보도블록에 못 박힌 채
단두대에 끌려가는 발걸음

너를 놓친 삶은
살아서 늘 죽음을 향해가는
문턱을 넘는 일

잠시 멈춘 걸음,
들지 못해 굳어버린
고개를 위하여 기도한다
너를 위해 기도한다

그리고 다시 무거운 문턱을 넘는다
여전히 나는 죄인이다.

이별

삭풍에 마른 나뭇가지 흔들리니
더는 내어줄 것이 없어 서럽게 울어댄다

예기치 못한 이별에 우리의 시간이 흔들리니
수많은 추억이 흩날려 떨어진다

떨어진 추억에 흘려버린 눈물은
더는 내어줄 이별이 없어
미련하게 붙잡는 마지막 발악이었다.

슬픈 환생 1

눈이 나린다
한 송이 예쁜 꽃잎으로 피어나
천사의 날갯짓으로 세상에 나린다

순간
눈꽃은 형체도 없이 녹아 세상 그 누구도
그 존재를 알지 못하리라
아무도 눈꽃의 눈물을 알지 못한다

그럼에도 눈꽃은 또 피어난다
아~ 슬픈 환생이어라.

무력감

봄은 기어이 오고야 말고
꽃은 기어이 피고야 만다
허니
붙잡아도 기어코 떠나가고
아쉬워도 기어코 지고야 만다

계절도
꽃도
사랑도
내 마음대로 할 수 있는 것은
아무것도 없었다.

잔혹 동화

물어뜯긴 심장에서
우리의 시간이 넘쳐흐른다

물어뜯긴 목덜미에서
우리의 사랑의 말이 새어 나온다

물어뜯긴 입술 사이로
나는 아무 말도 할 수 없었다
뱉어낼 그 무엇도 남지 않았다

물어뜯긴 그림자는
뒤도 돌아보지 않았다

순진한 해피엔딩은
어디에도 없었다.

눈물 그릇

찰랑찰랑
출렁출렁
내 안의 눈물이 그득 차
움직일 때마다 출렁인다

못 들은 척
내가 아닌 척
자신을 외면하다
생각지 못한 순간에
눈물 그릇은 넘쳐흐른다

비가 올 때
소주 한 잔 들이킬 때
세수할 때
클리셰 넘치는 드라마 장면에
걱정 말라는 노랫말에
아슬아슬했던 경계선을 넘어
흘러넘친다

찰랑찰랑
출렁출렁
오늘도 가득 찬 눈물이
걸음걸음마다 아찔하다.

그림자

술에 취한 발걸음은
갈 길을 잃었고
누구 하나 잡아주지 않는
어깨는 자꾸 움츠러든다

오른발
왼발
땅만 보던 걸음,
세상 초라한 걸음이
천천히 멈춘다

발끝으로 검은 그림자
꼬리처럼 달라붙어
또 한 짝의 걸음을 만들어준다

문득 올려본 그곳에
가로등이 있었고 그림자가 있었다
그게 위안이 되었다

한참을 그렇게
서 있을 정도로.

이별 연습

이별은 오늘도 하고
내일도 한다
아침에도 하고
저녁에도 한다

밥을 먹다가도 하고
옷을 입다가도 한다

모든 순간이 이별이고
나는 죽을 때까지 이별할 것이다

그게 인생임을
나와 이별하며 결국 받아들이겠지
나는 오늘도 이별한다.

외면

너의 집 앞을 지나가지 않으려
먼 길을 돌았다
함께 자주 갔던 백반집을 보지 않으려
고개를 돌렸다
네가 자주 흥얼거리던 노래가 들려서
TV를 꺼버렸다

너를 마주하지 않으려 노력한 시간이 무색하게
깊은 밤 나는 혼자 울었다
잊지 못해 애쓰는 내가 안쓰러워 한참을 울었다

우는 내내 너는 그리움이 되어
내 옆에 앉아있었고
아무런 말이 없었다.

오늘은 이별하지 말자

오늘은 이별하지 말자
높은 하이힐
집에 돌아가는 길이 너무 멀 것 같아

오늘은 이별하지 말자
곱게 칠한 아이라인
검은 눈물 보이기 싫어

오늘은 이별하지 말자
어제 마신 술로
오늘은 소주 한 잔도 못 해

오늘은 이별하지 말자
오늘은,
오늘은,
더는 핑곗거리가 생각나지 않아

아직 사랑한다는 말은
핑계처럼 말하기 싫어
결국, 나는 오늘 이별한다.

별똥별

당신과 나 사이에 우주가 있습니다
해가 뜨고 달이 뜨고 별이 떴다 지는 우주 말입니다

어디엔가 있는 줄은 알고 있으나 닿을 수는 없고
건너려고 놓은 징검다리는 무의미하니
보고있어도 없는 것과 같고
함께 있어도 홀로 인 것과 다를 것이 없습니다

당신과 나 사이에 우주가 있습니다
가도 가도 갈 수 없는 그곳에 있는 당신이라면
나는 떨어지는 별똥별 되어 차가운 돌덩이라도
그대 가슴에 박히고 싶습니다

차라리 떨어지는 별이 되기로 하였습니다.

고립

요란한 알람 소리,
방정맞은 소음만이 공기를 떠돈다

언제 잡아봤는지
기억도 나지 않는 사람 손대신
차가운 문고리를 힘없이 당겨본다

온기 없는 서늘함이 꼬리 치듯 들러붙는다
까칠하게 말라붙은 발바닥
장판을 스치는 소리가 목마르다

풀썩 앉은 소파에서 잔 먼지가 피어오른다
허공에 떠도는 티끌 하나 눈으로 좇는다
떠돌던 시선 끝에 시곗바늘과 눈이 마주쳤다

제 알 바 아니란 듯 무심히 흘러가는 시간
의미 없는 초침과의 눈싸움,
그저 그것만 할 뿐이다
점점 시간 속에 매몰되어간다.

나이 든다는 것

먼 길 나선 차 안에서
익숙한 노랫소리가 들려온다
까딱이던 손가락으로는 성에 차지 않는다
어깨가 들썩인다
젊은 시절 듣던 유행가는
그때 그 시절로 나를 데려간다

국민가수 부럽지 않은 열창에
살짝 민망해질 때쯤
나도 모를 욕지거리가 튀어나온다
가지가지 지랄을 하네

운명 같은 여자를 만났단다 애인이 있는데
부르던 노래를 멈추고 훈계질한다

나는 나이 들었고
유행가가 더는 달콤하지 않다
그저 헛웃음만 나왔다

나도 늙는구나.

때가 되면

아장아장 걷던 아이가
때가 되면
엄마의 손을 놓고 혼자 걷고

새까맣던 머리카락
때가 되면
하얀 서리맞은 백발이 되고

짙푸른 잎새
때가 되면
붉게 물들어 낙하하고

뜨거운 한낮의 태양
때가 되면
여운 남기는 노을이 된다

모든 때는
때가 되면
알아서 오니
나는 그저 덤덤히 그때를 기다릴 뿐
그리고 너무 슬퍼하지 말 것.

낮과 밤 그리고 노을

화려한 낮의 아쉬움은
붉은 노을의 잔향으로
세상을 부여잡는다

찬란했던 뜨거움
분주했던 열정
쉼 없는 발걸음

행진곡은 끝났고
노랫소리는 그쳤다
그만 쉬어라, 가거라
놓지 못한 미련은 더 붉게 발악한다

어둠의 호통 소리,
날카로운 달의 회초리에
그제야 거두지 못한
붉은 자락을 잡아당긴다

미련,
또 낮은 오려 만은
미적거림은 그칠 줄을 몰라라.

네 생각

네 생각을 한다
맛있는 음식 앞에서
너에게 어울릴 옷 앞에서
분위기 좋은 카페 앞에서
너를 떠올리는 내가 설렌다

네 생각을 한다
슬픈 이별 노래 앞에서
함께 자주 갔던 카페 앞에서
네가 좋아하던 커피 앞에서
너를 떠올리며 널 추억한다

온통 네 생각뿐이던 나인데
가끔 네 생각을 하는 나는
그때의 내가 아니다.

사막으로 간다

누군가
어디로 가느냐고
묻는다면
사막으로 간다고 답하겠습니다

모든 습기 다 말라
버석한 모래바람 날리는
그래서 사막으로 메마른 것인지
마음으로 메마른 것인지
알 수 없는 그곳으로 간다고 말하겠습니다

어쩌면 저는 이미
사막 그 한가운데
와 있는지 모르겠습니다

마를 대로 마른 마음에는
꽃이 필 수 없고
또 꽃이 피지 않는다고
울지 않는 나는 이미 사막입니다.

사막에도 단풍이 들었습니다

한낮의 뜨거운 태양은
아무런 생각도 허락지 않고
이내 찾아오는 시린 밤은
아무라도 허락하고 싶습니다

버석한 사막,
꽃 한 송이 피지 않는 이곳에도
시간은 가고 단풍이 들었습니다

한낮의 뜨거운 태양도
바늘처럼 찔러대는 시린 밤도
붉게 물들어가는 단풍은 막을 수가 없습니다

사막에 꽃은 없어도 단풍은 들었습니다
더 붉고 진한 꽃 같은 단풍이 들었습니다

그렇게 더 힘든 태양이 되었습니다
그렇게 더 시린 밤이 되었습니다

사막에서도 가을을 탑니다.

운다

그 마음 알 것 같아 운다
다시 만날 날이 올 것 같지 않아 운다

얼마의 세월을 견뎌야
너에게 닿을지 몰라 운다

우는 것밖에 할 수 없어 운다
내 눈물 세상에 가득 차
네가 있는 하늘 가까이 올라갈 수 있다면
내 기꺼이 울겠다

그렇게라도 너에게 닿아
한 번이라도 품어볼 수 있다면
나 쉬지 않고 울겠다.

그다음에서야

무지개 뜬 하늘을 넋 놓고 바라본다
너도나도 잠시 멈추어
사진을 찍어댄다
누구는 또 다른 누군가에게 사진을 보내고
누구는 자신의 부적처럼 기뻐한다

무지개가 아름다운 것은
비가 내렸기 때문이다

주체못할 폭우가 한바탕 휩쓸고
지나간 그곳에 햇살이 드리워서이다

하지만 우리는 지나간 폭우를 알지 못한다
먼저 간 슬픔을 보지 못한다
비 온 뒤의 무지개를
슬픔 뒤의 기쁨을
좌절 후의 일어섬을
우리는 깨닫지 못한다.

적정거리

후진기어에 울리는 경보음은
충돌을 예고한다
다가오지 마시오
다가가지 마시오

삐-
우리 사이의 경보음이 울린다
적정거리 위반

그저 손 뻗어 눈물 닦아줄 수 있는 거리
어깨 토닥여 줄 수 있는 거리
오늘의 표정을 읽을 수 있는 거리
그러고도 하늘 한번 볼 수 있는 거리
제일 애매하고 어려운 적정거리

비상

끝이라는 걸 직감하는 순간
내 앞에
아득한 절벽이 드리워졌다

스스로 만든 낭떠러지는
강한 끌어당김으로
나에게 어서 오라 손짓한다

쭈뼛거리는 발끝을
미끄러지듯 내디뎌
절벽으로 몸을 던진다

마지막이구나
모든 것은 끝이구나
두 팔 벌려 운명을 받아들인다

나는 떨어졌고
모든 것을 버린 순간
나는 날고 있었다

비우고 버리는 고통으로
나는 떠올랐다
추락은 비상을 위한 숙명이었다.

체기

그립다고 말하면 진짜 그리워질까 봐
보고 싶다고 말하면 진짜 보고 싶을까 봐
나는 결국 아무 말도 할 수 없었다

후회한다고 말하면 결국 후회가 될까 봐
미안하다 하면 결국 내 잘못이 될까 봐
나는 또 아무 말도 할 수 없었다

입속에 머문 그 수많은 말을
수백 번 되뇌다
결국, 삼켜버렸다

채 넘어가지 못한 말들은
단단히 얹혀버린다
그렇게 맺힌 너를 간직하고 살아간다.

이별의 무감각

이별 때문인지
이별의 의무감 때문이지
가슴이 아려왔다

이른 새벽,
알싸한 공기가
눈가를 스쳤다

나는 슬프지 않았다
슬퍼야 하는 의무감이
감정의 가면을 씌웠다

이별에 굳은살이 배겨
아무것도 느낄 수 없다.

슬픈 환생 2

지리멸렬했던 시간을 뒤로하고
핏빛 노을 산 위에 선다
태울 대로 다 태웠다
유언인 듯 마지막 시를 읊어댄다

황홀하다
슬프고도 아름답다
인제 그만 쉬고 싶다는 듯
산 아래로 몸을 던져 저를 죽인다

태양의 죽음으로 시작되는 것
그것이 밤이다
밤은 생기를 잃고
방황하는 영혼들의 아우성이다

눕고 싶다
집에 들어가 좁은 침대에 몸을 뉘었다.
침대는 곧 관이 되어 뚜껑이 닫히고
마지막 장송곡이 들린다

오늘 나는 이렇게 죽는다

이 죽음의 시간이 유일하게 내가 사는 시간이다
나는 내일 다시 살 것이다
살고자 하지 않아도 살 것이다
세상 가장 슬픈 환생이어라!

불면증

잠들지 못하는 밤은
비단 나만 그렇습니까?
나는 잠들지 못합니다.
달님은 벌써 얼굴 내밀어 밤을 알리는데
나의 그리움은 정오의 태양보다 뜨겁고 생생합니다.
타들어 가는 마음에 냉수 한 사발 들이켜보지만
마음만 시릴 뿐 그리움을 잠재우지 못합니다

나는 밤을 잃어버렸습니다
외로움이 그득한 밤은
잠들 수 없는 기다림의 정오입니다
당신이 밤을 들고 오소서

홑이불 하나라도 당신과 함께 덮을 수 있는 밤이 온다면
나는 기쁜 마음으로 밤을 맞이하겠습니다

그러니 당신, 나의 밤을 잠재우러 오소서.

나는 울고 싶지 않았다

김치찌개를 먹었다
콧물이 흐르는 걸 보니 매운가 보다.
이 집 김치찌개가 제법 얼큰하다
눈시울이 벌게지고 콧등이 찡하다
슬쩍 맺힌 눈물을 콧물을 닦는 척 훔쳐내며
맵다는 소리를 연신 내뱉어본다

코를 하도 닦아 대서 코 주변 화장은 얼룩이 지고
립스틱은 이미 번져 보기 흉한 꼴이다
애써 공이나 들이지 말 것을
오늘따라 잘 먹은 화장이 아깝다는 생각에 부아가 난다

콧물이 훌쩍, 눈물이 슬쩍
다시 또 훔쳐낸다
김치찌개가 매운 탓이다
하필 오늘 먹은 김치찌개가 매운 탓이다

기대했던 시험에 떨어져서가 아니다
몸은 아픈데 아무도 곁에 없어서가 아니다
인생이 매워서가 아니다
그냥 김치찌개가 매울 뿐이다
매운 김치찌개가 나를 울린 것이다.

과거를 쫓는 여자

흐르는 강물을 붙잡고 싶었습니다
잰걸음으로 걸어보지만, 강물은 쉬이 잡히지 않습니다
굽이진 언덕에 잠시 멈출 만도 한데
강물은 멈추지 않고 부서져 버립니다
그 자리에 서서 하염없이 흘러간 강물을 바라봅니다
어두워지기 전 돌아가는 것이 좋을듯싶어
돌아섰는데, 돌아섰는데…

그리고 한참을 더 서 있었습니다
흘러가는 강물만 쫓다 보니
내 뒤로 하염없이 흘러오는 강물을 알지 못했습니다
뒤돌아보면 알았을 그 일을
낮이 가고 어둠이 오기 전 너무 늦게 알게 되었습니다
바보같이 가는 것 때문에 오는 것을 알지 못했습니다.

어둠이 주는 선물

세상이 어둠이란 눈꺼풀을 덮는다
형체도 실체도 없는 이 어둠 속에
비로소 오롯이 나는 내가 된다

껍데기의 모양새도 걸치고 있는 옷의 무게도
어둠은 소리 없이 벗겨버리고
우리는 모두 벌거벗은 임금님이 된다

그러니 이 밤, 이 어둠을 인질 삼아
너의 목소리를 꺼내놓아도 좋다
울어도 좋고 악을 써도 좋다
어차피 내일의 태양은 너를 기억하지 못한다

그러니 오늘 밤
꺼내지 못한 마음을 풀어헤쳐 놓아라
그것이 어둠이 주는 선물이다.

기억상실

너를 잃고 나를 지웠다
함께 웃던
함께 보던
함께 자던
너의 모든 기억을 지우고 나니
내가 누구였는지 어떻게 살았는지
기억이 나지 않는다

너 하나 지웠는데 내가 없다
너 하나 잃었는데 나를 잃었다
기억이 나질 않는다.

헤어지는 중입니다

그는 그때 그 모습으로
똑같이 이별을 말합니다
나는 이 순간이 마지막일 듯하여
사력을 다해 매달립니다

제발 가지 말라고, 미안하다고
아무리 외쳐도 말은 입 밖으로 나오질 않고
발은 떨어지지 않으니 이것은 벌인듯합니다

소리 없는 울음에
터질 것 같은 가슴을 부여잡고 깨어납니다
또 꿈이었습니다

꿈에서 울음은 현실 울음이 되어
한참을 흐느낍니다
지금이라도 문을 열면 그가 서 있을 것만 같은
방금 한 이별 같았습니다

언제쯤 이 이별을 받아들일 수 있을까요?
나는 아직도 헤어지는 중입니다.

혼자라는 착각

나는 혼자였다
눈을 뜨고 잠드는 그 순간까지 나는 혼자였다
지독한 외로움은 원망의 씨앗이 되어
낯모르는 누군가를 탓하였다

나는 늘 혼자였다
문득, 혼자일 거라면 더 철저히 혼자가 되자
여길 벗어나 낯선 곳으로 향하였다
그리고, 알았다
완벽한 혼자가 되었을 때 비로소 알게 되었다
나는 결코 혼자가 아님을…

부서지는 아침 창가의 낯익은 햇살이
우유 배달원의 달그락거리던 소리가
동네 슈퍼 아줌마의 미소가
가끔 안부를 묻던 동창생의 문자가
다 큰딸의 끼니가 늘 궁금하던 엄마의 전화가
나를 기다리고 있고
나 또한 그것을 그리워하고 있었다

철저히 혼자가 되었을 때 나는 알게 되었다
나는 결코 혼자가 아니었다.

달의 독백

어둠을 거둬주세요
나는 두렵습니다

구름도 지쳐 잠드는 이 밤,
몽유병처럼 떠도는 구름은
나를 기억하지 못합니다

쏟아지는 별빛 나에게는 보이지 않으니
나는 누구와 함께일까요?

어둠은 용기를 잠재우고
의심은 두려움을 먹고 자랍니다
나는 무섭습니다
홀로 떠 있는 이 긴 밤 나는 누구에게 기도할까요?

나는 당신의 밤을 기억합니다
그러나 당신은 나의 낮을 알지 못합니다
존재해도 보이지 않는 허상에 인정받지 못하고
실체를 드러내는 나의 시간에는
그대의 세상은 지구 반대편을 향합니다

내가 당신의 낮과 밤을 기억하듯
부디 나를 잊지 마세요.

여전히

동네 한 바퀴 돌고 왔는데
여전히 너는 거기 있다

하루 자고 이틀 자고 한 달 지나도
여전히 너는 거기 있다

바람불었다 비가 오고
해가 떴다가 달이 나와도
여전히 너는 거기 있다

네가 여전한 것인지
내가 여전한 것인지
여전히 내 마음은 네 옆 그 자리에 있다.

철새

눈보라 치는 희뿌연 바람 속을 가르고
철새 무리가 살아간다

하필 궂은 날에 길을 나섰을까,
안쓰러운 마음에 한동안 우두커니 지켜본다

차가운 바람에도 V자 대열은
한 치의 흐트러짐이 없다
휘몰아치는 바람에 날갯짓은 더 크게 퍼덕인다

고된 여정이지만 잠시도 쉴 수가 없으리라
왜 하필 오늘이냐고 묻는다면
오늘도 저들의 삶이기 때문이리라

두 발로 딛고 추위 막아줄 쉴 곳이 있는 나도
버거운 삶이거늘, 철새는 오죽하겠는가

조용히 힘내라는 말 한마디 읊조린다
누구에게 닿는 말인지 모르겠지만 누구라도

철새,
오늘도 살아, 날아간다.

오늘이 간다고 서운해하지 않겠습니다

2022년 4월 28일 초판 1쇄 발행
2022년 4월 28일 초판 1쇄 인쇄

지은이 | 박대원, 오택준, 장희란, 박주언, 김진희

책임편집 | 송세아
편집 | 안소라, 김소은
제작 | theambitious factory
인쇄 | 아레스트

펴낸이 | 이장우
펴낸곳 | 꿈공장 플러스
출판등록 | 제 406-2017-000160호
주소 | 서울시 성북구 보국문로 16가길 43-20 꿈공장 1층
전화 | 02-6012-2734
팩스 | 031-624-4527
이메일 | ceo@dreambooks.kr
홈페이지 | www.dreambooks.kr
인스타그램 | @dreambooks.ceo

꿈공장⁺ 출판사는 모든 작가님의 꿈을 응원합니다.
꿈공장⁺ 출판사는 꿈을 포기하지 않는 당신 곁에 늘 함께하겠습니다.

ISBN | 979-11-92134-11-6

정 가 | 13,000원